PRIMIRACCONT

letture semplificate

# Ritorno al

Valentina Mapelli

**B1-B2**

**intermedio**

www.edilingua.it

**Valentina Mapelli** vive a Milano, è laureata in Lingue e Letterature straniere e attualmente insegna lingua straniera in un liceo della città. È autrice di diversi libri e racconti d'italiano per stranieri.

© **Copyright edizioni Edilingua**
Sede legale
via Cola di Rienzo, 212 00192 Roma
Tel. +39 06 97727307
Fax +39 06 94443138
info@edilingua.it
www.edilingua.it

Deposito e Centro di distribuzione
via Moroianni, 65 12133 Atene
Tel. +30 210 5733900
Fax +30 210 5758903

I edizione: ottobre 2013
ISBN: 978-960-693-110-9 (Libro)
ISBN: 978-960-693-111-6 (Libro + CD audio)
Redazione: Daniela Barra, Viviana Mirabile, Laura Piccolo
Impaginazione e progetto grafico: Edilingua
Illustrazioni: Claudio Cristiani
Registrazioni: *Networks*, Milano

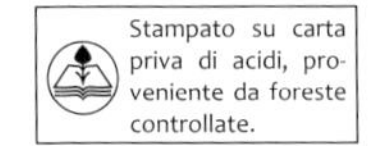


Grazie all'adozione di questo libro, Edilingua adotta a distanza dei bambini che vivono in Asia, in Africa e in Sud America. Perché insieme possiamo fare molto! Ulteriori informazioni sul nostro sito.

Stampato su carta priva di acidi, proveniente da foreste controllate.

*Ringraziamo sin da ora i lettori e i colleghi che volessero farci pervenire eventuali suggerimenti, segnalazioni e commenti (da inviare a redazione@edilingua.it).*



**Legenda dei simboli**

Fai gli esercizi 1-6 nella sezione *Attività*

Ascolta la traccia n. 9 del CD audio

# Indice



## Indice delle tracce del CD audio



Chi non ha il CD audio può scaricare le tracce 8-13 dal nostro sito www.edilingua.it alla sezione *Primiracconti.*

## Premessa

La collana *Primiracconti* nasce dalle sempre più frequenti richieste da parte degli studenti di leggere "libri italiani". Tutti sappiamo però quanto ciò sia difficoltoso, soprattutto per studenti di livelli non avanzati; si è pensato quindi di realizzare racconti semplificati che potessero da una parte soddisfare il piacere della lettura con un testo narrativo non troppo esteso né difficile da comprendere e dall'altra offrire un mezzo per raggiungere una maggiore conoscenza della lingua e della cultura italiana. Ogni racconto, infatti, è corredato da attività mirate allo sviluppo di varie competenze, in particolare quelle legate alla comprensione del testo e al consolidamento del lessico usato nel racconto, un lessico che comprende, non di rado, anche espressioni colloquiali o gergali molto diffuse in Italia, presentate sempre in contesto.

Il racconto è arricchito di vivaci disegni originali (presenti anche nella sezione delle attività) che, oltre ad avere una funzione estetica, sono stati pensati e realizzati per aiutare lo studente a raggiungere una maggiore e più completa comprensione del testo. Allo stesso scopo sono state inserite le note a piè di pagina, ben calibrate nel testo per non appesantirne la lettura.

Ciascun capitolo del racconto è introdotto da una o due brevi domande che hanno lo scopo non soltanto di collegare il nuovo capitolo a quello precedente, ma soprattutto di mantenere alta e viva la motivazione dello studente-lettore, il quale viene introdotto nell'intreccio degli avvenimenti che il nuovo capitolo andrà a svelare.

*Ritorno alle origini* può essere usato sia in classe sia individualmente, così come le attività relative ad ogni capitolo possono essere svolte sia in gruppo sia dal singolo studente; da una parte, infatti, si fa riferimento alla lettura collettiva, sempre utile in classe in relazione a un testo narrativo; dall'altra si offre l'occasione unica di una lettura individuale, importante tanto per un eventuale e successivo lavoro in classe, quanto, e soprattutto, per lo studente nel suo percorso di studio dell'italiano.

Tutti i volumi della collana *Primiracconti* sono disponibili con o senza CD audio. Il CD audio, con la lettura a più voci del testo eseguita da attori professionisti, è importante non solo perché offre delle interessanti attività di ascolto, ma anche perché fornisce allo studente l'opportunità di ascoltare la pronuncia e l'intonazione corretta del testo, cosa quanto mai importante ai primi livelli e sicuramente sempre gradita.

Buona lettura!

1

*Parliamo di foto! Tu ne hai molte di te stesso?*
*Dei tuoi amici? Della tua famiglia?*
*Perché, secondo te, la gente ama fare le foto e conservarle?*

# La foto

È una mattina d'estate: Thomas Roby è arrivato in ufficio prima del solito. Si sveglia sempre presto in estate. Gli piace camminare per la sua città, New York con la debole luce tra i grattacieli, le strade silenziose, i pochi passanti. New York è così soltanto a quest'ora...

Thomas è allegro e sorridente perché ama l'estate, ama il mattino, ama New York e il suo lavoro. Eppure talvolta sente la mancanza di qualcosa che per lui è importante ma che ancora non gli è capitato: un grande amore, una donna importante con cui condividere la sua vita, con cui costruire un futuro...

Thomas infatti ha trent'anni, ma ancora non ha una moglie, anzi, neppure una fidanzata... Però possiede una bella casa a Manhattan, un'automobile veloce e un'azienda. La sua azienda produce plastica, una plastica speciale. Una plastica che proprio lui, Thomas, ha inventato e che ha chiamato Roboplastic dal suo cognome, Roby.

La Roboplastic vende bene perché è resistente, dura a lungo e non costa molto. Così Thomas si può dire un "uomo di successo".

Thomas è arrivato in ufficio, si siede alla sua scrivania e sul suo tablet legge gli articoli più interessanti dei quotidiani.

Intanto beve un caffè che ha preso ai distributori automatici[1], un caffè

---

1. *distributore automatico*: comunemente è chiamato "la macchinetta", sono apparecchi da cui, dopo aver inserito i soldi necessari, si possono prendere bevande (caffè, bottiglietta d'acqua, lattina di aranciata ecc.) e cibi pronti e impacchettati (panini, tramezzini ecc.).

lungo, non molto buono... Per ora si accontenta di quello. Quando arriverà Susan, la segretaria, gli farà un caffè vero, un espresso italiano. In ufficio Thomas ha voluto la macchinetta italiana, una "caffettiera" o moka, perché, come dice sempre, il caffè italiano è il migliore del mondo.

Thomas ha letto i titoli del primo giornale, si è soffermato su un articolo che riguarda la politica nazionale. Adesso passa al secondo. Legge i titoli della prima pagina, poi passa alla seconda, alla terza, arriva agli articoli sull'estero: il Medio Oriente, la Cina... Sta per passare oltre, quando si blocca. Ha visto qualcosa, qualcosa di molto strano.

È una fotografia a colori.

Forse ai giornalisti è piaciuta perché sembra la riproduzione di un quadro famoso, ed è un quadro che Thomas ha già visto anche se non ne conosce il titolo[2]. Rappresenta un gruppo di persone che manifestano con bandiere e striscioni[3]. In primo piano c'è un uomo: è alto e ha le spalle larghe come lui, ha gli occhi chiari e il naso diritto come lui, i capelli scuri e ricci come lui.

Quell'uomo gli assomiglia come una goccia d'acqua! Thomas ingrandisce la figura per osservarla meglio: l'uomo porta una maglietta a maniche corte. Sul braccio si vede un grosso neo. Anche lui ha quel neo ed esattamente nello stesso punto.

«E questo che cosa significa?» si chiede Thomas.

Adesso sono le otto. La segretaria è in ufficio.

La giornata di lavoro comincia, ma Thomas oggi non riesce a concentrarsi.

---

2. *titolo*: il quadro a cui si riferisce è il famoso *Quarto stato* del pittore Pellizza da Volpedo, dipinto nel 1901.
3. *striscione*: striscia (pezzo) di stoffa o altro materiale su cui è scritto uno slogan di protesta.

The New York Times

Parla con il signor Smith al telefono, incontra la signora Adam per un contratto, manda una mail al dottor Frank, ma col pensiero torna sempre a quella pagina di giornale, a quella foto, al suo sosia[4]. Finalmente arriva alla fine.

Questa sera ha un appuntamento con Mary Anne, un'amica fin dai tempi dell'università quando studiavano alla facoltà di Ingegneria. Sono usciti insieme per diversi mesi. Adesso sono soltanto amici.

Hanno scelto di mangiare in un ristorante italiano perché tutt'e due amano il cibo italiano.

Davanti a un piatto di spaghetti al pomodoro, il piatto preferito di Thomas, parlano a lungo. E Thomas parla proprio di quella foto. Della foto del suo "sosia".

– Una volta ho letto che noi tutti, da qualche parte al mondo, abbiamo un sosia, uno che ci assomiglia in tutto e per tutto, almeno fisicamente – dice Thomas.

– Mahhh, se fosse così allora ne avrei anch'io una, una persona uguale a me, intendo.

– Già, proprio così.

– Io a queste cose non credo.

– In realtà neppure io. Cercavo solo di dare una spiegazione.

– Potresti chiedere a qualcuno. A tuo padre, per esempio...

– Mio padre è malato da tempo e non ricorda quasi niente. È impossibile fare un discorso sensato con lui.

– Già. È anche molto anziano, vero?

– Sì e comunque sai che lui, come mia madre che è morta quattro anni fa, sono i miei genitori adottivi.

– Sì, lo so.

---

4. *sosia*: persona che assomiglia tantissimo a un'altra.

– Insomma poiché non c'è niente e nessuno qui che mi possa aiutare, voglio andare in Italia.

– In Italia? Ma non hai un nome, un indirizzo, non hai... niente!

– Ho intenzione di volare a Roma e scoprire dove hanno fatto quella foto. Voglio andare in quel posto. Sono sicuro che lì troverò la spiegazione di questo mistero.

– Sai parlare italiano, vero? So che lo hai studiato per otto anni.

– Sì, lo parlo bene. È una lingua che amo!

– E la tua azienda?

– La mia azienda va avanti da sola. Se ne può occupare Paul, il mio assistente.

Mary Anne non risponde.

– Pensi che sia un'idea balorda[5]? – chiede allora Thomas.

– Beh, forse. Però... però... in fondo fai bene.

– Anche tu pensi che questo mistero debba essere svelato[6]?

– Più che altro penso che tu abbia bisogno di una vacanza, caro Thomas. Tu lavori troppo. Da quanto tempo non fai una vacanza?

– Mmmh, non lo so. Forse... dall'università?

5. *balorda*: strana, bizzarra.
6. *svelare un mistero*: capire che cosa significa una certa situazione, chi o cosa si nasconde dietro.

*Thomas va a Roma. Tu sei mai stato/a a Roma? E in Italia?
Se non ci sei stato/a, quali città (Roma, Venezia, Firenze, Napoli, Milano, Palermo) ti piacerebbe visitare? Perché?*

# In Italia

Una settimana dopo Thomas è in viaggio per l'Italia.
È molto contento di andare in Italia perché ha sempre desiderato vedere questo paese delle cui bellezze e attrazioni ha letto tantissimo.
«Roma deve essere molto bella e anche Venezia, Firenze, Napoli... E poi chissà che spaghetti eccezionali fanno in Italia» pensa il signor Roby, seduto al suo posto nel Boeing 747 che vola sopra l'oceano.
All'aeroporto di Roma prende un taxi e arriva all'albergo dove la sua segretaria gli ha prenotato una stanza. È un bell'albergo nel centro della città.
Quel primo giorno Thomas lo passa a visitare la città: il Colosseo, il Vaticano, piazza Navona, la fontana di Trevi...
Il giorno dopo va alla sede del giornale che ha pubblicato la fotografia.
Qui parla con un impiegato.

– Vi ho telefonato, ma non ho potuto parlare con il giornalista che ha scritto l'articolo – dice Thomas. – Vi ho anche scritto delle mail, ma non mi avete risposto.

– È venuto fino a qui per questo? Per sapere dove hanno fatto una fotografia? – chiede stupito l'impiegato.

– È molto importante per me – risponde lui.

– E sì, deve essere molto importante per lei, se ha fatto migliaia di chilometri per scoprirlo! – dice quello. Poi chiede:

– Vuole sapere il nome del luogo esatto?

– Sì.

– Se è così importante, cerco l'autore dell'articolo o il fotografo che ha scattato la foto. Loro possono dirmi il nome. Torni domani, per favore.

Di sera Thomas mangia in un bel ristorante del centro. C'è tanta gente: Thomas trova gli italiani molto eleganti e le donne molto belle. Ci sono anche parecchi stranieri.

Nessuno parla con lui, nessuno lo nota. Il cameriere gli porta un conto molto salato[1]. Thomas paga, ma pensa: «A New York spendo meno per una cena italiana».

Di sera scrive una mail alla sua amica Mary Anne:

Ciao Mary Anne,

sono a Roma. La città è bellissima, proprio come pensavo. Ma la gente non è come immaginavo. Gli italiani sono belli ed eleganti, però li ho trovati un po' freddi, almeno con me. Ma forse è perché sono così abituati ai turisti che non badano più a noi.

Domani forse ti saprò dire qualcosa a proposito dell'articolo.

Un caro saluto

Thomas

Il giorno dopo al giornale l'impiegato ha una buona notizia per lui:
– Ho trovato il giornalista, signor Roby, che mi ha dato l'indirizzo di

1. *salato*: caro.

quel posto: è un paese della Calabria. Si chiama Diamante ed è situato sulla costa.

– La Calabria? Non è una città... vero?

– No, infatti è una regione. Una delle venti in cui è suddivisa l'Italia.

– E si trova a sud di Roma?

– Sì, a circa 400 km da Roma.

– Ah bene, vicino!

– Vicino? Non mi sembra.

– Per noi americani 400 km sono pochi.

– In Italia invece sono tanti!

Thomas ringrazia e saluta l'impiegato gentile.

Decide di partire subito. Vuole prendere il primo treno per la Calabria. Va all'ufficio informazioni della stazione dove gli dicono che il treno partirà tra un'ora e mezza.

– Non so se ce la faccio – dice Thomas.

– Sarebbe bene che prendesse questo treno – gli dice l'impiegato. – Quello successivo parte questa sera tardi.

– Faccio il più presto possibile – fa Thomas. Torna in albergo, fa il bagaglio e va alla stazione. Qui compra il biglietto, un giornale al chiosco e un panino al bar. Appena in tempo: il treno è sul binario, pronto per partire.

Sul treno legge la guida sull'Italia che ha portato dagli Stati Uniti.

*La Calabria è una regione dell'Italia meridionale che si trova tra due mari, il mar Tirreno a ovest e il mar Ionio a est. Ha molti chilometri di costa, ben 780 km, che corrispondono al 19% dell'area totale del paese.*

*È sempre stata una regione molto povera, per questo, a partire dal 1800, molte persone sono emigrate all'estero. Adesso grazie al turismo e ad altre attività, la situazione è migliore, ma ancora rimangono problemi e...*

Ma non finisce di leggere. Ci sono poche persone sul treno, e il suo vagone è molto tranquillo. Si addormenta.

*Thomas viaggia in treno. E tu come viaggi di solito?*
*In aeroplano? In treno? In macchina? O con altri mezzi?*

# Il furto

Quando Thomas si risveglia, lo aspetta una brutta sorpresa: il suo portafoglio non c'è più. Cerca dappertutto. Ma il portafoglio è... scomparso.
Proprio in quel momento arriva un controllore:
– Biglietti, signori...

Poi rivolto a Thomas: – Signore, il biglietto, prego.

Thomas si alza in piedi:
– Non ho il biglietto – dice. – Il mio biglietto era nel mio portafoglio e il mio portafoglio... non c'è più!

– Vuol dire che glielo hanno rubato? – chiede il controllore.

– Sì, signore. Temo di sì.

Il controllore lo guarda con sospetto.

«Forse non crede a quello che dico? » si domanda Thomas.

– Mi sono addormentato e quando mi sono svegliato il mio portafoglio non c'era più – spiega.

– Lei è straniero? – chiede il controllore.

– Sì, sono americano.

– Capisco. Mi dispiace, ma lei non può stare su questo treno senza biglietto.

– Ma io... io... come posso fare? – chiede Thomas preso dal panico.

– Può scendere alla prossima stazione: è Napoli. Lì può andare alla polizia. Loro possono aiutarla.

– Va bene, farò così.

Il controllore se ne va. E Thomas scende alla prima stazione che, come ha detto il controllore, è Napoli. È sera ormai e lui si trova nella grande stazione solo, senza soldi e con il bagaglio, che per fortuna non è molto grande.

Un uomo gli si avvicina.
– Posso aiutarla a portare il bagaglio? – chiede.

– No, grazie – dice Thomas.

– Posso aiutarla a cercare un taxi?

«Un taxi? Sì, è una buona idea!» pensa Thomas. «Se avessi soldi, sarebbe una buona idea... Ma i soldi mi sono stati rubati. Ho la carta di credito, che per fortuna tenevo in tasca! Però non posso pagare il taxi con la carta di credito!».

– No, grazie – ripete all'uomo che se ne va.

Fuori della stazione centrale Thomas vede la fermata di un autobus. C'è soltanto una persona che aspetta in piedi. È una giovane donna, molto carina con i capelli neri e gli occhi neri.

Le si avvicina.

– Mi scusi – chiede. – Dove posso trovare un posto di polizia?

– Il commissariato? – dice lei. – Deve prendere l'autobus numero 16 e poi scendere alla sesta fermata...

La ragazza lo guarda, sorride.

– Lei è straniero, vero?

– Sì, sono americano.

– Al commissariato deve sporgere denuncia?

Thomas non capisce, non conosce l'italiano così bene.

– Sporgere denuncia... contro qualcuno, intendo. Le hanno rubato qualcosa?

– Sì, rubato sì, mi hanno rubato il portafoglio in treno.

– Capisco.

I due salgono in autobus.

– Nel portafoglio aveva anche i documenti?

– No, per fortuna no. I documenti e la carta di credito li avevo in tasca.

– Ah, meno male! – esclama lei. Poi aggiunge: – Allora non è necessario che vada subito alla polizia. Non c'è fretta, no?

– No, non c'è fretta. Non credo che con la mia..., come si dice?, denuncia possano trovare i miei soldi, vero?

– Già, può dire addio ai suoi soldi – dice lei.

– Allora devo trovare un albergo.

– C'è un buon albergo vicino a casa mia – dice lei. – È un po' caro, ma è molto carino e pulito. Scenda alla fermata a cui scendo io!

Thomas la ringrazia. La giovane continua a parlare. Si chiama Silvia. Ha ventisette anni e vive con i genitori, il nonno e il fratello.

– Lavoro con i computer – dice. – Sono laureata in Informatica. Ho sempre avuto un amore particolare per i computer e la tecnologia.

– Anch'io sono laureato in Ingegneria informatica e anch'io amo i computer e la tecnologia. La mia azienda infatti è supertecnologica.

– Azienda? Lei ha un'azienda? Negli Stati Uniti?

– Sì, ho un'azienda a New York. Non è tanto grande ma molto all'avanguardia[1].

I due continuano a parlare.

Quando scendono dall'autobus, Thomas dice:

– Prima di andare in albergo dovrei trovare un bancomat da dove poter prelevare dei soldi.

– Vengo con lei – propone Silvia che lo accompagna a una banca vicino.

Qui Thomas preleva cinquecento euro. Li mette in tasca.

– Non tutti in una tasca! – gli consiglia la ragazza. – Li divida; ne metta metà nella tasca della giacca e metà nella tasca dei pantaloni.

Thomas si guarda attorno. La strada è deserta.

– Ma non mi ha visto nessuno... Non c'è nessuno! – dice.

– Sì, ma come dice mio nonno, è meglio essere sempre prudenti.

Silvia mostra a Thomas casa sua. È un bel palazzo a quattro piani. Indica con il dito il suo appartamento.

– Vede? Io abito al terzo piano.

– Dove ci sono tanti vasi di fiori?

– Sì, mia mamma ama i fiori. È lei che se ne prende cura. Il suo albergo

---

1. *essere all'avanguardia*: che si trova un passo in avanti rispetto alle altre aziende esistenti, ad esempio presenta innovazioni tecnologiche che le altre aziende non hanno.

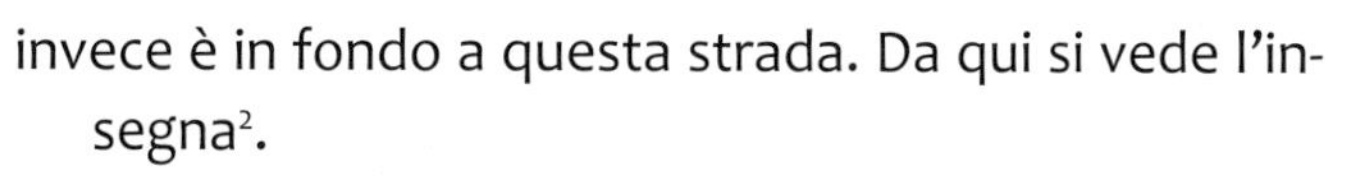

invece è in fondo a questa strada. Da qui si vede l'insegna[2].

– Bene, grazie. Adesso vado – dice Thomas. Ma non si muove.

– Vuole che l'accompagni? – chiede Silvia.

– Oh no, non si preoccupi! Soltanto che... io vorrei veramente ringraziarla per il suo aiuto. È stato prezioso.

Silvia sorride.

– Posso ... io ... – Thomas è imbarazzato. – Crede che...? Vuole venire a pranzo con me?

– Domani?

– Sì, domani, o forse lavora?

– No, domani è sabato...

– Ah già. Quando si viaggia non si sa mai che giorno è...

Qualche secondo di silenzio.

– Sì, va bene – dice infine Silvia.

12-16

---

2. *insegna*: cartello, in questo caso con il nome dell'albergo, posto all'esterno di un luogo pubblico per indicare l'attività che vi si svolge.

*In questo capitolo si parla di come vivono gli italiani e, in particolare, del fatto che molti giovani vivono a casa con i loro genitori. Tu cosa ne pensi? Quali sono i vantaggi e quali gli svantaggi di vivere in famiglia dopo i vent'anni?*

# Con Silvia

Thomas è a Napoli da tre giorni.
Ha passato il fine settimana con Silvia. Sabato hanno mangiato insieme a pranzo e a cena, durante il giorno hanno visitato la città. Domenica Silvia lo ha invitato a casa sua e gli ha anche presentato la sua famiglia: mamma, papà, nonno e fratello.
Tutti seduti allo stesso grande tavolo in cucina, hanno mangiato degli spaghetti alle vongole, (i migliori che abbia mai mangiato, dice Thomas), pesce alla griglia con verdure e la pastiera, un dolce tipico napoletano.

– Era tutto buonissimo – dice Thomas alla fine del pranzo. – Non ho mai mangiato così bene. – Ed è sincero.

– Grazie – dice Silvia che ha cucinato tutto il pranzo.

– Silvia è una cuoca eccezionale – dice il nonno. – Fortunato l'uomo che se la piglia[1], la mia Silvia!

Tutti ridono.

Di pomeriggio Thomas e Silvia sono usciti, sono andati al mare. Si sono seduti sulla spiaggia e Thomas è rimasto incantato a guardare il mare.
– Il paesaggio qui è bellissimo – ha detto.

---

1. *pigliarsela*: che la prende in moglie.

– Sì, è vero. Dopo tutto la penisola Sorrentina e la costa amalfitana sono famose in tutto il mondo.

– Costa amalf...

– Amalfitana. Capisci bene quando parlo?

– Sì, certo – risponde Thomas offeso. – Soltanto che non conosco tutte le parole.

– Beh, certo. Se sentissi il mio inglese, ti spaventeresti. Parlo in modo terribile. – Thomas sorride.

– Non sei mai andata nello UK o negli States?

– UK e States? In italiano si dice Inghilterra e Stati Uniti o America... Comunque sì, ci sono stata, ma non a lungo. Se potessi, ci tornerei e ci passerei un po' di tempo.

– Oh sì. Sarebbe bello se potessi venire a New York! – esclama Thomas. – Potresti essere mia ospite!

Thomas e Silvia fanno una passeggiata lungo il mare. Thomas continua a parlare:
– C'è una bella atmosfera a casa tua – dice. – Ma mi stupisce che viviate ancora tutti insieme.

– Sì, siamo una famiglia molto unita – ha risposto Silvia. – Ci piace vivere insieme. Tu non abiti con la tua famiglia?

– No, da tempo abito da solo. A diciotto anni sono andato a studiare all'università a Boston, e dopo l'università ho cominciato a lavorare in un'altra città ancora, a Houston in Texas. Adesso abito a New York.

– In Italia in genere i giovani studiano nella stessa città dove sono nati e hanno vissuto – ha spiegato la ragazza. – E molti restano a casa fino a quando si sposano. Alcuni lo fanno per scelta, io per esempio. Io vivo con la mia famiglia perché mi piace. Me ne andrò quando mi sposerò, credo. Però molti altri non lo fanno per scelta, restano con la famiglia perché non hanno abbastanza soldi per comprare o affittare una casa, insomma per vivere da soli…

Questo è uno dei tanti discorsi tra Thomas e Silvia, che hanno parlato molto in questi giorni.

«Non ho mai parlato così tanto di me stesso e della mia vita come con questa ragazza» pensa Thomas. Si sente bene con lei, si sente libero e felice come non si è mai sentito prima.

Oggi è mercoledì. Thomas doveva partire lunedì, ma è restato altri tre giorni. Non riesce a lasciare Silvia che, a sua volta, ha preso due giorni di ferie per stare con Thomas.

Ma oggi Thomas ha deciso di partire.
– Non sai quanto mi dispiaccia andarmene e lasciarti, ma devo risolvere questa faccenda.

Silvia lo accompagna alla stazione. Da qui Thomas prende il treno per la Calabria.

Adesso sono alla stazione.

– Sono stato molto bene – dice Thomas.

– Anch'io – risponde Silvia.

– Mi piaci molto – continua Thomas.

Silvia non dice niente, ma avvicina il viso al suo. Thomas l'abbraccia. Si baciano. A lungo. Con passione.

– Devi proprio partire? – chiede lei.

– Sì, mi dispiace ma...

– Scusa, non dovevo neppure chiedertelo. Sei venuto apposta[2] da un altro continente.

– Però ti prometto che, quando ho risolto la faccenda, torno a Napoli.

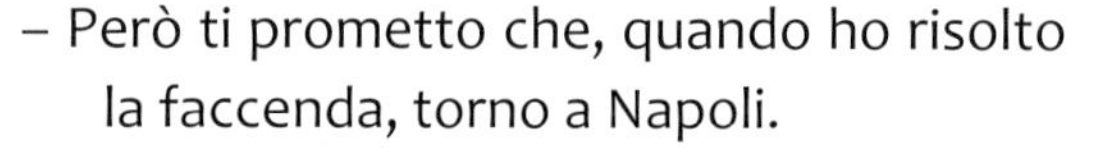

– E cosa fai?

– Ti vengo a cercare.

– E poi?

– Ti porto con me.

– Ma io non...

– Non dire niente adesso! Quando torno, vedremo insieme cosa fare.

2. *apposta*: per questo determinato scopo, con questo scopo.

*In Italia, soprattutto nei paesi, il bar, in genere della piazza principale, è ancora un punto d'incontro. Qual è il punto d'incontro (o quali sono i punti d'incontro) per le persone che vivono nel tuo paese o nella tua città?*

# Indagini

Alle due di pomeriggio Thomas arriva a Cosenza.
Durante il viaggio sta molto attento a non addormentarsi e nessuno gli ruba niente. A Cosenza prende a noleggio un'automobile con un navigatore satellitare[1].
In un'ora è a Diamante.
Diamante è un paese turistico: tanti alberghi, tanti ristoranti e pizzerie, e un mare ... bellissimo.
«Vorrei essere qui con Silvia» pensa Thomas.
Entra in un bar e si siede. Silvia gli ha consigliato di andare nel bar più grande del paese. Nel bar sanno tutto di tutti, gli ha detto.
Thomas beve un cappuccino, mangia un cornetto e sul tavolino ha il suo tablet con la foto del "sosia".
Sono le sei di pomeriggio e nel bar ci sono soltanto due persone e il barista.
Tutti e tre lo guardano con curiosità.
Dopo il cappuccino e la brioche si decide a parlare.
– Conosce quest'uomo? – chiede al barista indicando la fotografia.

1. *navigatore satellitare*: oggi lo troviamo su tutte le nuove automobili e non solo. È un dispositivo elettronico digitale che assiste e aiuta l'automobilista, e in genere il guidatore, indicandogli il percorso da seguire per raggiungere una certa destinazione.

L'uomo lo guarda e sorride.
– Ma... mi sta prendendo in giro? – domanda. – Quest'uomo è... lei!

– No, non sono io – dice Thomas. E spiega che è venuto dagli Stati Uniti per cercare quell'uomo che gli assomiglia come una goccia d'acqua.
– Lo avete mai visto? – domanda.

– No, mai visto. Però posso dirle dove lavora. – dice lo stesso uomo.
– Riconosco l'edificio che si vede dietro. Quella è la fabbrica di plastica del QF8, la Plastikitaly.

– QF8?

– Sì, è l'area industriale di una cittadina qui vicino.

Thomas ringrazia ed esce dal bar. In macchina va al QF8; il navigatore lo porta dritto dritto alla fabbrica di plastica. All'ingresso c'è un uomo vestito con un'uniforme, una specie di "guardia".

Thomas chiede se può vedere il capo personale[2].

– No, non riceve nessuno – gli risponde quello.

Thomas sta per andarsene, quando ricorda le parole di Silvia: «In Italia devi insistere se vuoi ottenere qualcosa. Inventa! Improvvisa! Vedrai che alla fine ce la fai». Thomas segue il consiglio.

– In America ho una fabbrica di plastica – dice all'uomo – una plastica speciale. – Dalla tasca prende un suo biglietto da visita con il suo nome e il nome della sua azienda.

– Non capisco l'inglese – dice l'uomo.

Thomas gli spiega:
– Thomas Roby, questo sono io. E Roboplastic, questo è il nome della mia company.

---

2. *capo personale*: chi si occupa e ha la responsabilità di tutto il personale, cioè degli impiegati di un'azienda.

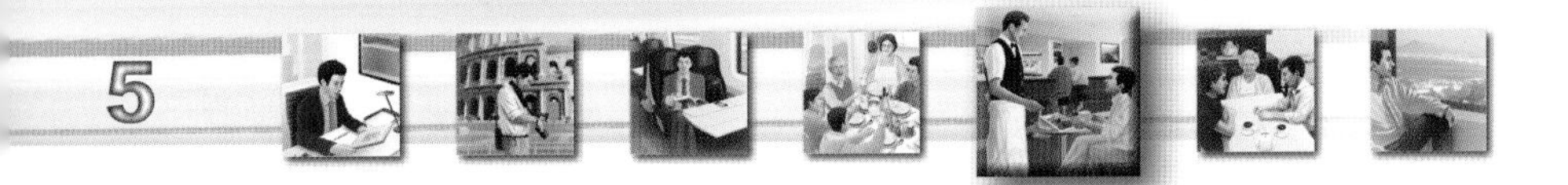

– Company?

– Sì, come dite voi... ditta, azienda...

– Ah capisco – adesso l'uomo sorride. – Anche lei produce plastica, giusto?

– Giusto.

– E vuole vedere il capo qui per...

– Per fare affari con lui, naturalmente.

– Ah, naturalmente. – Ci pensa un secondo e poi dice: – Adesso chiedo. – Chiama qualcuno al telefono. Dopo aver parlato per pochi secondi, si rivolge a Thomas: – Va bene. Il capo può riceverla.

Il capo è in un grande ufficio. È piccolo, ha la barba e i baffi.

– Good morning Mister – dice con un accento terribile. – I am Vito Carrozza.

– Io sono Thomas Roy – si presenta Thomas e aggiunge: – Se vuole, possiamo parlare italiano.

– Ah! – esclama l'altro e sembra deluso.

«Forse» pensa Thomas «voleva, come tanti, esercitare il suo inglese!».

Thomas comincia presentandosi. Dice che lui possiede un'azienda, che anche lui produce plastica e che è interessato ai prodotti dell'azienda italiana.

– Ne sono lieto – dice Vito Carrozza. – Sono sicuro che potremo fare grandi affari insieme. Le piacerebbe vedere la fabbrica? – gli chiede.

– Certo – risponde Thomas.

– Però non posso accompagnarla io, mi rincresce. Purtroppo tra dieci minuti devo partecipare a una riunione importante. Le dispiace se la faccio accompagnare da un mio assistente?

– Certamente no – risponde Thomas.

L'assistente del signor Carrozza è un giovane alto e bruno.

Dopo averlo presentato e prima di salutare Thomas, il signor Carrozza dice:
– Gennaro la accompagnerà nel giro della fabbrica.

Thomas e Gennaro escono dall'edificio e attraversano un cortile. Entrano nella fabbrica. Gennaro continua a guardare Thomas con curiosità.

– Cosa c'è? – chiede Thomas. – Qualche problema?

– No, nessun problema – risponde quello. – Solo che... mi sembra di conoscerla, di averla già vista.

E non è l'unico ad avere quell'impressione. Infatti mentre i due visitano la fabbrica, tanti si fermano e guardano Thomas con un'espressione di stupore[3].

Thomas intuisce[4], ma non dice niente.

Intanto Gennaro gli mostra i macchinari e come funzionano.

– E il prodotto finito? – chiede Thomas. – Potrei vederlo?

– Certamente – dice Gennaro. – Vado a prendere degli...

Non finisce la frase. Il suo sguardo è come magnetizzato da una persona che è apparsa alle spalle di Thomas. È un uomo, alto come Thomas, con gli stessi capelli e lo stesso viso di Thomas. L'espressione del suo volto tradisce[5] un misto di curiosità e di paura.

Thomas si volta e i loro sguardi si incrociano.

«Finalmente l'ho trovato!» pensa Thomas.

Thomas e l'uomo continuano a fissarsi. Tutt'intorno si è formato un gruppo di persone. Tutti li guardano.

---

3. *stupore*: sorpresa.
4. *intuire*: accorgersi, capire qualcosa per deduzione, senza che si manifesti.
5. *tradire*: rivelare involontariamente.

Thomas si avvicina all'uomo e si presenta:
– Sono Thomas Roby di New York – dice.

– Io mi chiamo Pasquale Favaglia – si presenta l'altro.

Thomas gli mostra la foto.
– Ho visto questa foto e sono venuto a cercare l'uomo che mi assomiglia come una goccia d'acqua.

L'uomo dà un'occhiata alla foto sul tablet ed esclama: – Ah, è la foto della manifestazione! Quella contro la chiusura della fabbrica!

Thomas chiede a Gennaro se può parlare privatamente con Pasquale.

Gennaro sembra confuso.
– Sì... sì... va bene... – dice. – Anche se... quest'uomo sta lavorando.

– Capisco – dice Thomas, – cinque minuti. Vorrei solo chiarire una cosa con lui.

– Certo, certo. Vi accompagno in sala riunioni.

Thomas e Pasquale vanno in una saletta all'interno della fabbrica.

È Pasquale a parlare per primo:
– Quindi lei è venuto dall'America per cercare me...

– Sì.

– Ma... perché?

– Perché io... io ... ci ho pensato tanto sa in questi giorni e... ho un'ipotesi che però non so se... – Di nuovo s'interrompe.

– Mi spieghi!

– Io credo che noi... possiamo essere fratelli.

– Ma io non ho nessun fratello.

– Ne è proprio sicuro?

– Sì, ne sono sicuro. Però ... mia madre è morta quando ero molto piccolo e mio padre è venuto a mancare qualche anno dopo. Io... sono cresciuto con mia nonna che non mi ha mai parlato di un fratello.

– Io invece sono un figlio adottivo. Non ho mai conosciuto i miei veri genitori.

– C'è qualcuno che forse ci può aiutare – dice Pasquale.

– Chi?

– Mia nonna. Se c'è qualcuno che sa è lei.

– Possiamo parlarle?

– Certo. Tra un'ora finisco il turno e possiamo andare da lei.

– Bene, la aspetto – dice Thomas.

Prima di salutarsi Pasquale lo guarda per l'ultima volta e dice:
– Io sono più grasso di lei.

– Forse è meglio darci del tu.

– Di te allora...

Thomas ride.
– Soltanto un pochino – commenta.

*Secondo te, qual è il mistero che si nasconde dietro la somiglianza tra i due uomini?*

# Il mistero è svelato

Sono le sei quando Pasquale e Thomas si fermano davanti a una casetta.

– Qui abita la nonna – dice Pasquale.

– Tu non abiti più con lei?

– No, da due anni. Ho preso un appartamento in paese.

– Non sei sposato quindi.

– No.

– Neppure io sono sposato.

I due entrano nella casetta. È piccola, ma molto ordinata e pulita.

– Pasquale, sei tu? – chiede una voce.

– Sì, nonna sono io. Ti ho detto tante volte che devi chiudere a chiave.

– Lo so, ma l'ho dimenticato di nuovo, sai che...

La nonna appare sul vano della porta. Vede Thomas e grida:
– Oh mio Dio!

– Nonna, non ti senti bene? – chiede Pasquale.

– Oh mio Dio! – ripete lei.

Pasquale, premuroso[1], la fa sedere.

---

1. *premuroso*: che si preoccupa per lei.

– Chi è? – chiede la donna.

– Mi chiamo Thomas e sono americano. Io…

La donna si alza.
– Sì, in America. La coppia ti ha portato in America.

– Cosa vuoi dire, nonna?

La donna non parla. Tiene lo sguardo fisso su Thomas e non parla.

– Nonna, ti prego, spiega! Siamo venuti qui perché tu sei l'unica che può darci una spiegazione! – esclama Pasquale.

– L'unica, sì, credo di essere l'unica.

La donna si risiede.
– Volete sapere tutta la storia? Va bene ve la racconto:
Successe tutto trentatré anni fa quando Concetta, mia figlia, la mia bellissima figlia, si innamorò di Michele.

– Mio padre! – esclama Pasquale.

– Sì, tuo padre. Michele era un pescatore e Concetta lavorava in una pasticceria del paese. Si sposarono e fecero un matrimonio bellissimo, un matrimonio che la gente si ricordò per anni e che…

– Per favore nonna, va avanti!

– Sì, giusto. Allora sì… si sposarono. Dopo tre mesi Concetta disse che aspettava un bambino. Ma la sua non fu una gravidanza facile. Stava spesso male e dovette smettere di lavorare. Partorì in luglio con un caldo terribile e non partorì un bambino, ma due. Due bei maschietti che avevano i capelli neri neri. Uno lo chiamarono Pasquale e l'altro Tommaso.

Quei due bambini erano bellissimi, erano i più belli che ...

– Nonna, torna al racconto!

– Sì, sì... I bambini stavano bene, ma mia figlia no. Stava sempre peggio, la tennero in ospedale per settimane ma non migliorava. E dopo un mese, come tu sai già Pasquale, morì. Per il marito fu un grandissimo dolore, lui l'amava tantissimo e non solo... Così si ritrovò solo con una grande responsabilità addosso: tirar su due bambini. Io lo aiutai, lo aiutai sempre, ma fu difficile. Con la pesca guadagnava sempre meno, perciò si mise a fare due lavori: durante la settimana lavorava in una fabbrica che avevano aperto in città, al fine settimana pescava.

Passarono sei mesi e lui lavorava dalla mattina alla sera sette giorni su sette. Un giorno uno dei bambini, Tommaso, si ammalò. Dovette stare a casa dal lavoro per portarlo all'ospedale. Qui gli dissero che non era grave, ma che la sua malattia doveva essere curata, che il bambino bisognava portarlo ogni giorno allo studio medico per fare le cure. E naturalmente lo studio medico era in città. Michele venne da me. «Come faccio?» mi chiese. «Io devo lavorare. Se qui qualcu-

no non tira la carretta[2], moriamo di fame». Gli risposi che Tommaso aveva bisogno di quelle cure, se no si ammalava seriamente. Gli dissi che il bambino l'avrei volentieri portato io allo studio medico. Ma... dovevo già occuparmi di Pasquale. ...Non potevo portarmi dietro anche il fratellino in un ambulatorio medico dall'altra parte della città. E poi come avrei fatto ad arrivarci senza macchina. Insomma, Michele era disperato, non sapeva come fare.

Ne parlò in fabbrica ai suoi colleghi. E tutti gli dissero la stessa cosa: «Un uomo solo non può tirare su due bambini. Dovresti darlo in adozione». Lui, all'inizio, rifiutò: «No, no» diceva. «Sono tutt'e due figli miei, non posso darne via uno!».

Lo convinse il capo del personale della sua azienda. «Conosco una coppia» gli disse. «Sono americani e davvero brave persone. Hanno abitato qui per due anni. Lui lavora per il nostro ufficio vendite. Non possono avere figli e sarebbero felici di poterne adottare uno. Loro possono prendersi cura del bambino e dargli possibilità che tu non potresti mai dargli!».

Michele ci pensò, ci pensò a lungo, ne parlò anche con me, prese altre informazioni sulla coppia e alla fine diede loro il bambino. Dopo sei mesi se ne andarono, tornarono in America. Credo che abbiano

---

2. *tirare la carretta*: è un'espressione che significa «far andare avanti le cose, vivere la vita faticosamente», in questo caso perché bisogna lavorare per affrontare le spese dell'intera famiglia.

scritto a Michele per diversi anni, ma poi anche Michele è morto e ... e sono rimasta solo io.

– Come si chiamava la coppia che ha adottato il bambino?

– Non lo so, purtroppo non lo so – dice la donna.

– Non ha delle lettere, dei documenti... ?

– No, non ho più niente, mi dispiace. È passato così tanto tempo...

– Lei crede che quel bambino possa essere io? – chiede Thomas.

– C'è un modo molto semplice di saperlo. – La donna si alza in piedi. – Mi fa vedere le braccia, per favore? – chiede.

Thomas le mostra le braccia.

– Eccolo! – esclama. – Pasquale, guarda! È il grosso neo a forma di farfalla, lo stesso neo che hai tu!

Abbraccia Thomas e Thomas abbraccia lei.

– Sei il mio Tommaso! Sei il mio nipotino! – grida la nonna.

– Quindi tu sei mio fratello – dice Pasquale e si abbracciano.

– Che cosa meravigliosa! – esclama la nonna. – Vado a preparare la cena. Oggi mangiate tutti e due qui! I miei nipoti. Finalmente insieme, dopo così tanti anni...

La cena dura a lungo perché Thomas ha tante cose da raccontare e anche Pasquale: tutta una vita, anzi due vite!

# Epilogo

Così Thomas ha trovato il suo sosia, che poi è suo fratello gemello. Resta in Calabria ancora per qualche giorno. Vuole vedere e conoscere tutto di quel posto.

– Adesso mi sento legato all'Italia più che mai – spiega a Pasquale.

– Cosa vuoi dire? – chiede il fratello.

– Stranamente mi sono sempre sentito attratto dall'Italia. Infatti ho anche studiato per tanti anni l'italiano e, tutte le volte che ho potuto, ho mangiato italiano.

– Ma adesso tornerai negli Stati Uniti – dice Pasquale.

– Sì, devo andare. A New York ho il mio lavoro e la mia azienda, ma tornerò presto in Italia e quando tornerò sarà per fondare una nuova azienda qui, un'azienda della mia plastica magica. E tu, Pasquale, non sarai più un semplice operaio, ma il mio assistente.

– Il tuo assistente? Ma... sarò in grado[1]?

– Ti insegnerò tutto quello che so. Sono sicuro che imparerai prestissimo.

– Grazie per la fiducia.

– Beh, dopo tutto sei mio fratello gemello, no? Non puoi essere meno intelligente di me!

– Speriamo... – fa Pasquale ed entrambi scoppiano in una risata.

La mattina seguente Pasquale accompagna Thomas alla stazione.

– Non capisco perché non prendi l'aereo da Lamezia Terme – dice. – È molto più comodo.

1. *essere in grado*: essere capace.

– Sì, lo so. Ma devo tornare a Napoli – risponde Thomas. – Ho lasciato un affare in sospeso[2].

– Quest'affare porta un nome di donna?

– Sì, Silvia.

– È una cosa seria?

– Chi può saperlo… A me sembra di sì. Lei è una donna meravigliosa.

– Uauu, come dite voi americani. Sembra veramente una cosa seria se parli così di lei. Allora ti aspetto.

– Sì, tra due mesi al massimo sarò di ritorno.

Sul treno Thomas vede i paesi sfilare davanti ai suoi occhi, e la terra, la sua terra.

Tra le labbra mormora, commosso:
– Arrivederci Calabria! Arrivederci fratello!

2. *in sospeso*: non risolto.

## Indice delle attività

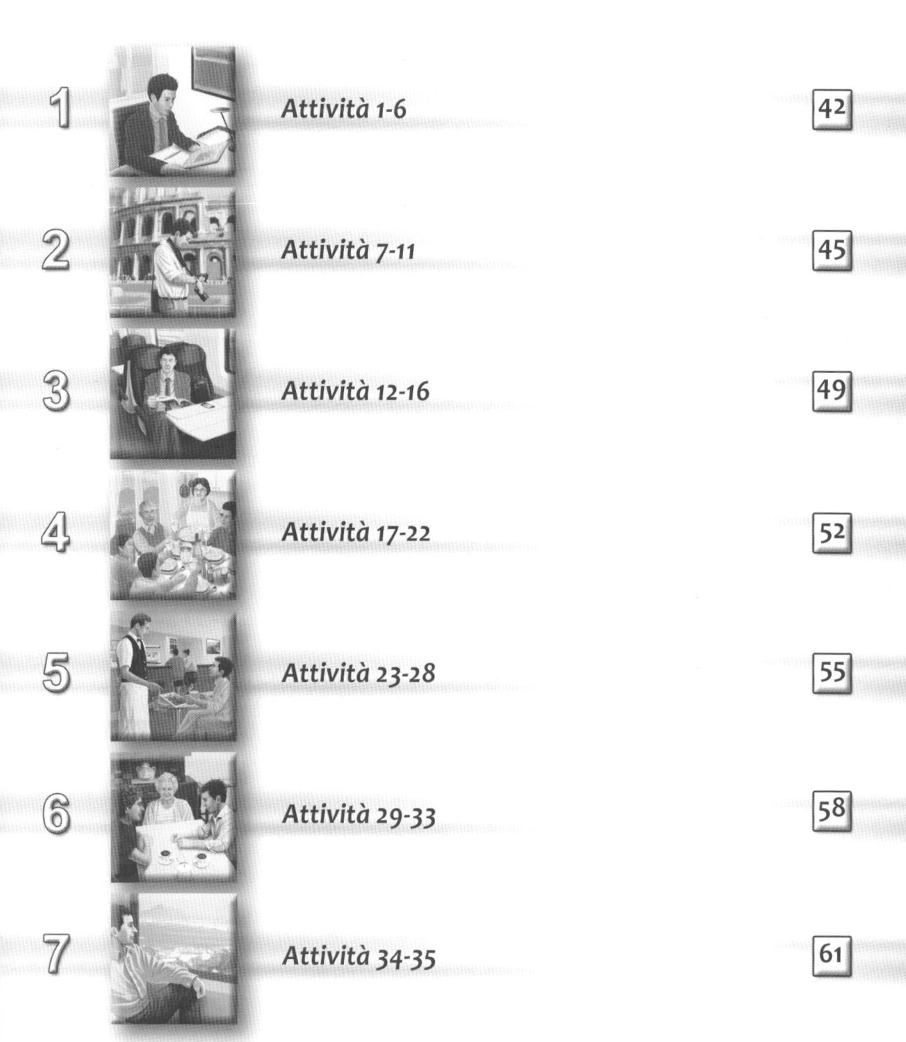

# Attività

capitolo 1

**1. Completa con i dati riguardanti Thomas.**

Nome e cognome ..........................................................................

Anni ..........................................................................

Luogo di residenza ..........................................................................

Genitori: *adottivi*

Stato civile ..........................................................................

Lavoro ..........................................................................

**2. Indica quali di queste affermazioni sono vere o false.**

| | V | F |
|---|---|---|
| 1. Thomas va in ufficio solo in estate. | ☐ | ☐ |
| 2. A Thomas piace molto il caffè italiano. | ☐ | ☐ |
| 3. Susan è la segretaria di Thomas. | ☐ | ☐ |
| 4. Mary Anne lavora nell'azienda di Thomas. | ☐ | ☐ |
| 5. Thomas ha studiato Matematica all'università. | ☐ | ☐ |
| 6. Thomas vede una sua foto. | ☐ | ☐ |

**3. a. Scegli l'alternativa corretta e rispondi alle seguenti domande.**

1. Com'è la foto?
   **a.** *A colori.*
   **b.** *In bianco e nero.*

2. Perché è forse piaciuta ai giornalisti?
   **a.** *Perché ricorda un famoso quadro della metà del secolo scorso.*
   **b.** *Perché ricorda il "Quarto potere" di Pellizza da Volpedo.*

3. Che cosa della foto stupisce Thomas?
   **a.** *La somiglianza tra lui e l'uomo della foto.*
   **b.** *La maglietta a maniche corte dell'uomo ritratto nella foto.*

4. Con chi ne parla?
   a. *Ne parla con Susan.*
   b. *Ne parla con Mary Anne.*
5. Che cosa decide di fare Thomas?
   a. *Decide di andare in Italia da suo padre.*
   b. *Decide di andare in Italia, a Roma.*
6. Thomas sa parlare italiano?
   a. *Sì, lo sa parlare bene.*
   b. *Sì, ma non lo sa parlare bene.*

**b. Rispondi.**

1. Qual è il piatto preferito di Thomas?

   ....................................................................................................................

2. Qual è il tuo piatto preferito?

   ....................................................................................................................

3. Quale cibo invece non ti piace per niente?

   ....................................................................................................................

**4. Indica il significato corretto delle seguenti parole.**

1. Grattacielo

   **a.** *palazzo di molti piani* **b.** *edificio in centro* **c.** *grande appartamento*
2. È capitato

   **a.** *è tornato* **b.** *è successo* **c.** *è caduto*
3. Azienda

   **a.** *fabbrica* **b.** *ditta* **c.** *ufficio*
4. Neo

   **a.** *nuova malattia* **b.** *tatuaggio* **c.** *macchia della pelle*
5. Origini

   **a.** *radici* **b.** *nazionalità* **c.** *conseguenze*

5. ***Cerca l'errore*. Ascolta la traccia audio e correggi i 6 errori presenti nel testo.**

In ufficio Thomas ha voluto la macchinetta italiana, una "caffetteria" o moka, perché, come dice sempre, il caffè americano è il migliore del mondo.
Thomas ha letto i titoli del primo giornale, si è fermato su un articolo che riguarda la politica internazionale. Adesso passa al secondo. Legge i titoli della prima pagina, poi passa alla seconda, alla quarta, arriva agli articoli sull'estero: il Medio Oriente, la Cina... Sta per passare altrove, quando si blocca. Ha visto qualcosa, qualcosa di poco strano.
È una fotografia a colori.

**6. Il caffè. Curiosità.**

Il caffè italiano è famoso in tutto il mondo e ha sue caratteristiche particolari.

Basso, cremoso, molto aromatico, si può fare in due modi: con la moka e con la macchina automatica del bar.

Nella casa italiana non può mancare, soprattutto al mattino e dopo i pasti.

Consigli per la preparazione di un vero caffè all'italiana fatto con la tradizionale macchina per caffè di casa (moka):

- acquistate un caffè di qualità di vostro gusto;
- evitate miscele di diversi tipi di caffè;
- usate acqua fresca e leggera;

- dosate in modo equilibrato acqua e caffè;
- scaldate al minimo di "fiamma";
- girare il caffè nella moka per "mischiarlo";
- berlo se è possibile senza zucchero per gustarlo ben "amaro" perché questo è il suo gusto caratteristico!

---

**7. Scegli la giusta alternativa.**

1. Thomas sta andando a
   - **a.** *Roma*
   - **b.** *Firenze*
   - **c.** *Napoli*
2. Qui cerca notizie alla sede del giornale. L'impiegato
   - **a.** *gli dà subito tutte le informazioni utili*
   - **b.** *dice che non può fare niente per lui*
   - **c.** *gli chiede di passare il giorno dopo*
3. Thomas mangia in un ristorante. Lo trova
   - **a.** *bello e poco costoso*
   - **b.** *brutto e costoso*
   - **c.** *bello e costoso*
4. Thomas scrive a Mary Anne che gli italiani
   - **a.** *sono un po' freddi, forse perché sono abituati ai turisti*
   - **b.** *sono molto gentili con i turisti*
   - **c.** *non sono gentili con i turisti*
5. L'impiegato dice a Thomas che la foto è stata scattata
   - **a.** *in Campania*
   - **b.** *in Calabria*
   - **c.** *in Sicilia*
6. Thomas decide di partire
   - **a.** *in treno*
   - **b.** *in aereo*
   - **c.** *in auto*

**8.** ***Vero o falso?*** **Rileggi il breve testo sulla Calabria della guida turistica di Thomas e rispondi.**

| | V | F |
|---|---|---|
| 1. La Calabria si trova fra tre mari. | ☐ | ☐ |
| 2. Ha quasi un quinto di costa del Paese. | ☐ | ☐ |
| 3. Non è sempre stata una regione povera. | ☐ | ☐ |
| 4. Poche persone sono emigrate dalla Calabria. | ☐ | ☐ |
| 5. Una delle risorse della Calabria è il turismo. | ☐ | ☐ |

**9. a. Thomas "trova gli italiani molto eleganti e le donne molto belle". E tu che idea hai degli italiani?**

**b. L'impiegato illustra a Thomas le regioni d'Italia. Tu conosci l'Italia?**

Guarda la cartina in basso e inserisci i seguenti nomi al posto giusto. Città: *Milano, Roma, Venezia, Torino, Napoli, Palermo*; Isole: *Sicilia, Sardegna*; Regione: *Calabria*; Mar *Tirreno.*

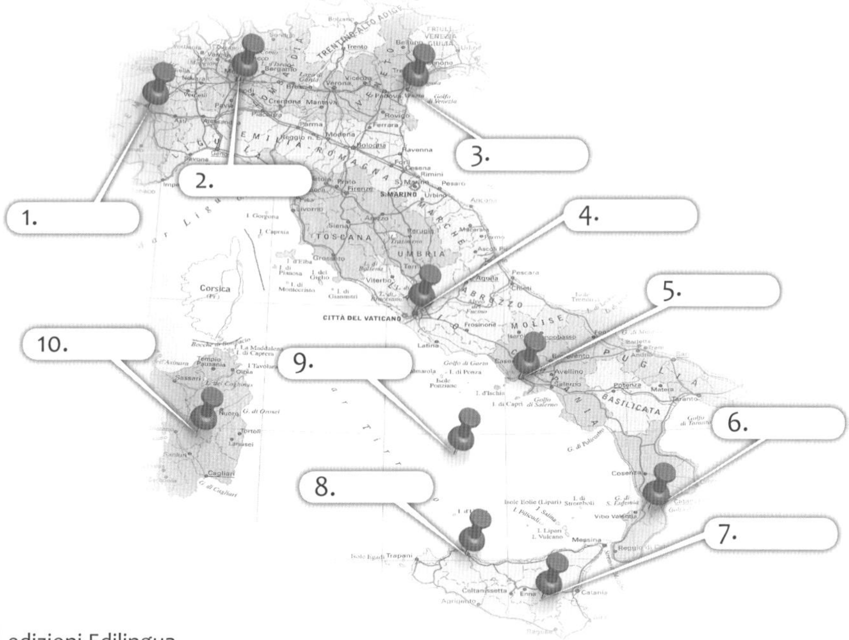

**10. Completa il testo con i verbi mancanti e i pronomi dove necessario, poi ascolta e verifica se le tue risposte sono giuste.**

Una settimana dopo Thomas (1. essere)....................................... in viaggio per l'Italia. È molto contento di andare in Italia perché ha sempre desiderato vedere questo paese delle cui bellezze e attrazioni (2. leggere)...................................... tantissimo.

«Roma (3. dovere)....................................... essere molto bella e anche Venezia, Firenze, Napoli... E poi chissà che spaghetti eccezionali (4. fare)....................................... in Italia» pensa il signor Roby, seduto al suo posto nel Boeing 747 che (5. volare)....................................... sopra l'oceano.

All'aeroporto di Roma (6. prendere)....................................... un taxi e arriva all'albergo dove la sua segretaria (7. prenotare – a lui).................. .................... una stanza. È un bell'albergo nel centro della città.

Quel primo giorno Thomas (8. passare – il giorno)....................................... a visitare la città: il Colosseo, il Vaticano, piazza Navona, la fontana di Trevi...

**11. Curiosità e informazioni sulla città di Roma.**

Roma si trova nella regione Lazio, una regione con dei bellissimi parchi naturali tra cui quello del Circeo. È la capitale d'Italia ed è anche il centro della vita politica del paese. Oggi ci vivono circa tre milioni di persone ed è una città molto bella e vivace sia di giorno che di notte...

Cosa c'è da vedere a Roma?

Certamente il **Colosseo** (Anfiteatro Flavio), uno dei monumenti più famosi del mondo e uno dei simboli del passato di questa città. Si può dire che sia simile a uno stadio sportivo e ai tempi dell'Impero romano poteva ospitare ben 50.000 persone che assistevano agli spettacoli che vi si svolgevano (combattimenti tra gladiatori, battaglie navali, rappresentazioni ecc.).

**Piazza di Spagna**, uno dei punti d'incontro per i romani e anche per i turisti. Da qui infatti partono le vie del centro con eleganti negozi. Visto il clima mite della città, a Piazza di Spagna, sulla bella scalinata, sono allestite e hanno spesso luogo sfilate di moda. Nella piazza si trova anche la *Fontana della Barcaccia*, che ha la forma di una barca, realizzata dallo scultore seicentesco Pietro Bernini.

La **Basilica di San Pietro** in Vaticano è una delle chiese più famose del mondo. Al suo interno si trovano meravigliose opere d'arte, come ad esempio la *Pietà* di Michelangelo. Vicino alla chiesa, nello Stato Vaticano, si possono visitare i *Musei Vaticani* e la *Cappella Sistina*, in cui si trova lo stupendo affresco sempre del grande Michelangelo.

## 12. Scegli la giusta alternativa.

1. A Thomas sul treno gli hanno rubato
   **a.** *il bagaglio*
   **b.** *il portafoglio*
   **c.** *la carta di credito*

2. Thomas scende dal treno a Napoli perché
   **a.** *vuole fare la denuncia in polizia*
   **b.** *deve incontrare un'amica*
   **c.** *non può continuare a viaggiare*

3. A Napoli, Thomas riceve l'aiuto di
   **a.** *una ragazza che incontra per caso*
   **b.** *una sua parente che non vede da anni*
   **c.** *una poliziotta del commissariato*

4. Prima di andare in albergo, Thomas passa
   **a.** *dalla banca*
   **b.** *dal commissariato*
   **c.** *dal ristorante*

## 13. Ascolta il brano e indica le espressioni non presenti.

1. da dove poter versare ☐
2. vengo con lei ☐
3. seicento euro ☐
4. Li divida ☐
5. si guarda in giro ☐
6. la strada è deserta ☐
7. non c'è niente ☐
8. come dice mio zio ☐

**14. Risolvi il cruciverba.**

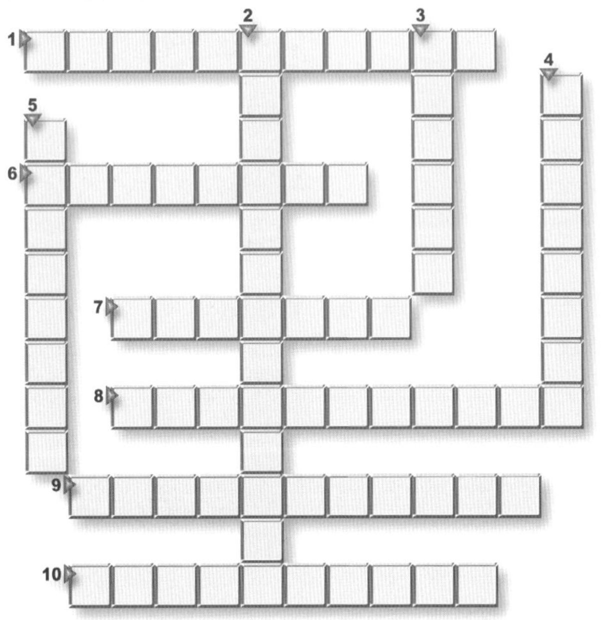


**Orizzontali**

1. Sinonimo di impacciato, intimidito, un po' confuso e disorientato.
6. Lo diciamo di un aiuto che per noi è stato importante.
7. Indica l'attività che si svolge in un luogo e può essere grande, piccola, luminosa e colorata.
8. Verifica che i viaggiatori abbiano il biglietto.
9. Scienza che studia le informazioni che un computer raccoglie, elabora e trasmette.
10. Gli anni di Silvia.

**Verticali**

2. Il contrario di *svegliarsi*.
3. In genere, le hanno le giacche e i pantaloni e ci mettiamo dentro piccoli oggetti personali.
4. Lo si dice di una persona attenta, saggia, che fa le cose con cautela e non con leggerezza.
5. Verbo che ha il significato di fare, presentare una denuncia.

## 15. Qual è la risposta giusta?

1. Il biglietto, prego!
   - **a.** *Eccolo!*
   - **b.** *Mi scusi.*
   - **c.** *Grazie!*
2. Posso aiutarla con le valigie?
   - **a.** *Sì, prego.*
   - **b.** *Sì, grazie!*
   - **c.** *Benvenuto!*
3. Mi scusi, dove posso trovare una banca?
   - **a.** *Grazie per l'informazione.*
   - **b.** *Non la trova.*
   - **c.** *Ce n'è una qui all'angolo.*
4. Lavori domani?
   - **a.** *Molto bene.*
   - **b.** *No, domani è festa.*
   - **c.** *Grazie molte.*

## 16. a. Nel terzo capitolo, Silvia dice "Può dire addio (ai suoi soldi)". Che cosa vuole dire con questa espressione?

**a.** Che a Thomas gli hanno rubato i soldi.
**b.** Che Thomas non rivedrà più i suoi soldi.
**c.** Che Thomas ritroverà i suoi soldi.

### b. Cosa puoi fare se ti trovi senza contanti come succede a Thomas? Completa le frasi con i seguenti termini: *bonifico, prelevare, bancomat, banca, assegno.*

1. Puoi ............................ dei soldi da un ............................ con la carta di credito.
2. Puoi pagare con ............................
3. Puoi andare in ............................ e fare operazioni varie.
4. Puoi andare in posta e chiedere a un amico o familiare un ............ ..................

## capitolo 4

**17. Indica le informazioni presenti.**

1. Thomas ha conosciuto la famiglia di Silvia. ☐
2. La pastiera è un tipico dolce napoletano. ☐
3. Silvia non è mai stata in America. ☐
4. Silvia vive con i suoi non per bisogno, ma per scelta. ☐
5. Silvia accompagna Thomas alla stazione. ☐
6. Thomas si sente felice quando è con Silvia. ☐
7. Thomas parte per Napoli di lunedì. ☐

**18. Abbina le immagini ai cibi e scrivi se si tratta di un primo piatto (*p.p.*), un secondo piatto (*s.p.*), un contorno (*c.*) o un dessert (*d.*).**

a b c d e f g h

1. Minestrone » ..............................
2. Frittata » ..............................
3. Torta alle mele » ..............................
4. Crostata di frutta » ..............................
5. Insalata mista » ..............................
6. Spinaci al parmigiano » ..............................
7. Spaghetti alla carbonara » ..............................
8. Pesce alla griglia » ..............................

## 19. Piatti tipici campani. Curiosità.

La cucina napoletana vanta una straordinaria varietà di frutta e verdura del posto, formaggi che sono diventati famosi in tutto il mondo come la *mozzarella di bufala*, il *caciocavallo* e la *scamorza*, e diversi vini pregiati.

Due sono i piatti più famosi della cucina napoletana: gli *spaghetti al pomodoro* e la *pizza*.

Una curiosità?

La *pizza margherita*, la più famosa delle pizze, fu creata nel 1871 dal pizzaiolo Raffaele Esposito in onore dell'omonima regina, sposa di Umberto I di Savoia!

La *pastiera* è invece il dolce più famoso. La base è fatta di pasta frolla con aggiunta di ricotta fresca, chicchi di grano bollito nel latte, frutta candita, uova, zucchero, spezie.

NAPOLI NAPOLI NAPOLI

## 20. Trasforma queste frasi al passato (passato prossimo e imperfetto).

*Esempio*: Tutti ridono mentre mangiano. » Tutti ridevano mentre mangiavano.

1. Thomas e Silvia oggi escono e vanno al mare.

   ..........................................................................................

2. Thomas rimane incantato.

   ..........................................................................................

3. Thomas deve partire lunedì, ma resta altri tre giorni.

   ..........................................................................................

4. Silvia prende due giorni di ferie per stare con Thomas.

   ..........................................................................................

5. Silvia accompagna Thomas alla stazione.

   ..........................................................................................

6. Mentre vanno sul binario per prendere il treno, incontrano Giorgio, un cugino di Silvia.

.........................................................................................................

(11) **21. Ascolta la traccia audio e completa le frasi con le parole mancanti (max 3 parole).**

Adesso sono alla stazione.

– (1)............................ molto bene – dice Thomas.

– Anch'io – risponde Silvia.

– (2)............................ – continua Thomas.

Silvia non dice niente, ma avvicina il viso al suo. Thomas (3)............................ Si baciano. A lungo. Con passione.

– (4)............................? – chiede lei.

– Sì, mi dispiace ma...

– Scusa, (5)............................ chiedertelo. Sei venuto apposta da un altro continente.

– Però (6)............................, quando ho risolto la faccenda, torno a Napoli.

**22. Completa la seguente conversazione scrivendo le domande.**

1. .........................................................................................

   Parto domani.

2. .........................................................................................

   Sì, ho deciso di andare a Reggio Calabria.

3. .........................................................................................

   In treno.

4. .........................................................................................

   Domattina alle undici.

- 5. ..................................................................................................
Devo incontrare una persona.
- 6. ..................................................................................................
Tornerò tra una settimana.

---

capitolo 5

## 23. Completa il brano con le informazioni che ricavi dal testo.

Thomas arriva in treno a (1)................................ Da qui va in macchina a (2).............................. Questo è un paese (3).............................. con alberghi e ristoranti. Qui Thomas va in un (4).............................. e ottiene informazioni utili che lo indirizzano a una fabbrica di (5)..... ......................... dell'area industriale di un paese vicino. Quando però Thomas arriva all'ingresso, la (6).............................. non vuole farlo passare. Sta per (7).............................. quando ricorda il consiglio di Silvia, cioè che in Italia se si vuole ottenere qualcosa (8)..................... ......... insistere, improvvisare.

## 24. Indica quali di queste affermazioni sono vere o false.

| | V | F |
|---|---|---|
| 1. Thomas dice di essere il proprietario di una fabbrica di plastica. | ☐ | ☐ |
| 2. Il signor Carrozza parla soltanto l'inglese. | ☐ | ☐ |
| 3. Thomas visita la fabbrica accompagnato dal signor Carrozza. | ☐ | ☐ |
| 4. Il "sosia" di Thomas si chiama Pasquale. | ☐ | ☐ |
| 5. Pasquale dice di avere già un fratello. | ☐ | ☐ |
| 6. La nonna è l'unica persona che potrebbe chiarire i dubbi. | ☐ | ☐ |

**25. Il capo dell'azienda parla un linguaggio formale. Scegli in queste coppie di espressioni quella più formale.**

1. a) Piacere. Io sono Giovanni.
   b) Lieto di conoscerLa. Io sono il signor Ferri.
2. a) Crede che possa disturbarLa nei prossimi giorni?
   b) Ti chiamo io nei prossimi giorni?
3. a) Ti accompagno io!
   b) Per me sarebbe un gran piacere accompagnarti.
4. a) Saresti così gentile da aiutarmi a scrivere questa relazione?
   b) Mi aiuteresti a scrivere questa relazione?
5. a) Mi scusi tanto per il disturbo.
   b) Scusami se ti ho disturbato.

**26. Completa le frasi con queste parole che hai incontrato nel capitolo.**

*prodotto occhiata manifestazione affari turno baffi giro*

1. Ha la barba ma non i ..............................
2. Devo finire il .............................. di lavoro e poi sono libero.
3. Federico ha partecipato a una .............................. contro la guerra.
4. L'acquirente è interessato a un .............................. dell'azienda.
5. Ho l'impressione che Stefano mi abbia preso in ..............................
6. Il capo personale crede che Thomas sia lì per ..............................
7. Ho dato un'.............................. al giornale, ma non riporta il mio articolo.

**27. Ascolta la traccia audio e inserisci le giuste preposizioni.**

L'uomo dà un'occhiata alla foto (1)............. tablet ed esclama: – Ah, è la foto della manifestazione! Quella contro la chiusura (2)............. fabbrica!

Thomas chiede a Gennaro se può parlare privatamente (3)............. Pasquale.

Gennaro sembra confuso.
– Sì... sì... va bene... – dice. – Anche se... quest'uomo sta lavorando.

– Capisco – dice Thomas, – cinque minuti. Vorrei solo chiarire una cosa con lui.

– Certo, certo. Vi accompagno (4)............. sala riunioni.

Thomas e Pasquale vanno in una saletta (5)............. interno della fabbrica.

È Pasquale a parlare (6)............. primo:
– Quindi lei è venuto dall'America per cercare me...

– Sì.

– Ma... perché?

– Perché io ... io ... ci ho pensato tanto sa (7)............. questi giorni e... ho un'ipotesi che però non so se... – (8)............. nuovo s'interrompe.

– Mi spieghi!

– Io credo che noi... possiamo essere fratelli.

– Ma io non ho nessun fratello.

– Ne è proprio sicuro?

– Sì, ne sono sicuro. Però ... mia madre è morta quando ero molto piccolo e mio padre è venuto (9)............. mancare qualche anno dopo. Io... sono cresciuto con mia nonna che non mi ha mai parlato (10)............. un fratello.

– Io invece sono un figlio adottivo. Non ho mai conosciuto i miei veri genitori.

## 28. Diamante. Curiosità.

*Diamante* è un piccolo paese della Calabria, in provincia di Cosenza, con poco più di 5.000 abitanti, chiamati diamantesi o adamantini. Diamante è conosciuto anche come la "perla del Tirreno", grazie ai suoi otto km di spiagge fantastiche, e come la "città dei murales". Infatti, è un museo all'aperto: oltre 150 opere d'arte sono dipinte sui muri del centro storico, e della frazione Cirella, realizzate a partire dal 1981 da pittori e artisti di fama internazionale.

---

capitolo 6

## 29. Questo capitolo è dedicato per gran parte al racconto della nonna. Ricostruisci la prima parte della storia mettendo gli eventi nel giusto ordine cronologico.

- [ ] Un giorno, uno dei due figli, Tommaso, si ammalò.
- [ ] Ma Michele doveva anche lavorare, non poteva permettersi di non farlo.
- [ ] Dopo circa un anno, nacquero due gemelli: Tommaso e Pasquale.
- [ ] Concetta, sua figlia, conobbe Michele e si sposarono.
- [1] Tutto successe trentatré anni prima.
- [ ] Michele si trovò tutto solo ad allevare i due bambini.
- [ ] Nonostante i tentativi dei medici, Concetta morì dopo il parto.
- [ ] Michele per le cure doveva portarlo ogni giorno in città, in un ambulatorio medico.
- [ ] Così dovette prendere la difficile e dolorosa decisione: affidare Tommaso ad una coppia adottiva.

**30. Ascolta il brano e completa con le parole mancanti (max 4 parole).**

Michele ci pensò, ci pensò a lungo, ne parlò anche con me, prese altre informazioni sulla coppia e (1)................................................ il bambino. Dopo sei mesi se ne andarono, tornarono in America. Credo che (2)................................................ per diversi anni, ma poi anche Michele è morto e ... e sono rimasta solo io.

– Come si chiamava la coppia che ha adottato il bambino?

– Non lo so, (3)................................................ – dice la donna.

– Non ha delle lettere, dei documenti... ?

– No, non ho più niente, mi dispiace. È passato (4)............................ ...................... tempo...

– Lei crede che quel bambino possa essere io? – chiede Thomas.

– C'è un modo molto semplice di saperlo. – La donna si alza in piedi. – (5)................................................ le braccia, per favore? – chiede.

Thomas le mostra le braccia.

– Eccolo! – esclama. – Pasquale, guarda! È il grosso neo (6)............ ...................................., lo stesso neo che hai tu!

Abbraccia Thomas e Thomas abbraccia lei.

– Sei il mio Tommaso! (7)................................................! – grida la nonna.

– Quindi tu sei mio fratello – dice Pasquale e si abbracciano.

– Che cosa meravigliosa! – esclama la nonna. – Vado a preparare la cena. Oggi mangiate (8)................................................ qui! I miei nipoti. Finalmente insieme, dopo così tanti anni...

La cena dura a lungo perché Thomas ha tante cose da raccontare e anche Pasquale: tutta una vita, anzi due vite!

**31. Collega la colonna di sinistra con quella di destra.**

| | |
|---|---|
| 1. smettere | a. una malattia |
| 2. andare | b. bene |
| 3. sentirsi | c. a chiave |
| 4. fissare | d. un bambino |
| 5. chiudere | e. a un appuntamento |
| 6. partorire | f. lo sguardo |
| 7. curare | g. di lavorare |

**32. Qui di seguito abbiamo trasformato una parte del racconto della nonna con i verbi al passato prossimo. Rimetti i verbi al passato remoto, come nell'esempio.**

Concetta (1. ha detto) *disse* che aspettava un bambino. Ma la sua non (2. è stata) ............................ una gravidanza facile. Stava spesso male e (3. ha dovuto) ............................ smettere di lavorare. (4. Ha partorito) ............................ in luglio con un caldo terribile e non un bambino, ma due. Due bei maschietti che avevano i capelli neri neri. Uno lo (5. hanno chiamato) ............................ Pasquale e l'altro Tommaso. [...] Stava sempre peggio, la (6. hanno tenuta) ............................ in ospedale per settimane ma non migliorava. E dopo un mese, come tu sai già Pasquale, (7. è morta) ............................ Per il marito (8. è stato) ............................ un grandissimo dolore, lui l'amava tantissimo e non solo... Così (9. si è ritrovato) ............................ solo con una grande responsabilità addosso: tirar su due bambini. Io lo (10. ho aiutato) ............................ sempre, ma tra mille difficoltà.

**33. Associa i termini alle definizioni date.**

1. Una casa piccola e accogliente: _ _ _ _ _ _ _
2. Una persona attenta, amorevole, rispettosa: _ _ _ _ _ _ _ _ _

3. Persona che fa il mio stesso lavoro: _ _ _ _ _ _ _

4. Periodo di nove mesi, prima del parto, durante il quale si sviluppa il bambino che nascerà: _ _ _ _ _ _ _ _ _ _

5. Negozio dove vengono preparati e venduti i dolci:
_ _ _ _ _ _ _ _ _ _ _

6. Crescere un figlio altrui come fosse proprio:
_ _ _ _ _ _ _ _

**34. a. Scegli la giusta alternativa.**

1. Thomas resta in Calabria
   **a.** *ancora qualche mese*
   **b.** *ancora qualche giorno*
   **c.** *ancora qualche settimana*

2. Thomas si è sempre sentito attratto
   **a.** *dall'Italia*
   **b.** *dalla musica*
   **c.** *dalla Calabria*

3. Thomas deve tornare a New York perché lì ha
   **a.** *la sua fidanzata*
   **b.** *la sua famiglia*
   **c.** *il suo lavoro*

4. Thomas conta di tornare presto in Italia dove ha intenzione di
   **a.** *sposare Silvia*
   **b.** *fondare una nuova azienda*
   **c.** *comprare una grande casa*

5. Prima di tornare negli Stati Uniti, Thomas va
   **a.** *a Napoli*
   **b.** *a Milano*
   **c.** *a Londra*

6. Quando parte Thomas è
   **a.** *contento*
   **b.** *triste*
   **c.** *commosso*

**b. Ti è piaciuta la fine del racconto? Prova a scriverne un'altra in poche righe!**

..........................................................................................

..........................................................................................

..........................................................................................

..........................................................................................

**35. *Minitest Italia*. Quanto bene conosci questo paese? Misurati con questo test! Se non conosci qualche risposta, trovi le soluzioni in fondo alla pagina.**

1. Quale di queste non è una regione d'Italia?
   **a.** *San Marino* **b.** *Basilicata* **c.** *Friuli Venezia Giulia*

2. Dove si trova la città di Bari?
   **a.** *A nord ovest* **b.** *A sud ovest* **c.** *A sud est*

3. Dopo Roma, qual è la seconda città più grande d'Italia?
   **a.** *Torino* **b.** *Milano* **c.** *Palermo*

4. Qual è il monte più alto in Italia?
   **a.** *Il Monte Bianco* **b.** *Il Monte Rosa* **c.** *L'Aspromonte*

5. Chi è un famoso regista e attore italiano?
   **a.** *Roberto Saviano* **b.** *Giorgio Armani* **c.** *Roberto Benigni*

6. Qual è il nome del mare che bagna l'Italia?
   **a.** *Oceano Atlantico* **b.** *Mar Baltico* **c.** *Mar Mediterraneo*

7. Quante regioni ha l'Italia?
   **a.** *18* **b.** *20* **c.** *22*

8. In quale città si trova Cinecittà?
   **a.** *Roma* **b.** *Firenze* **c.** *Milano*

1.a, 2.c, 3.b, 4.a, 5.c, 6.c, 7.b, 8.a

# Chiavi delle attività

1. Thomas Roby
   30
   New York
   *adottivi*
   celibe (non sposato)
   imprenditore (possiede un'azienda)
2. 1.F, 2.V, 3.V, 4.F, 5.F, 6.F
3. **a.** 1.a, 2.b, 3.a, 4.b, 5.b, 6.a; **b.** 1. Gli spaghetti al pomodoro, 2./3. Risposte libere
4. 1.a, 2.b, 3.b, 4.c, 5.a
5. 1. caffettiera (caffetteria) 2. italiano (americano), 3. nazionale (internazionale), 4. terza (quarta), 5. oltre (altrove), 6. molto (poco)
7. 1.a, 2.c, 3.c, 4.a, 5.b, 6.c
8. 1.F, 2.V, 3.F, 4.F, 5.V
9. **a.** Risposta libera; **b.** 1. Torino, 2. Milano, 3. Venezia, 4. Roma, 5. Napoli, 6. Calabria, 7. Sicilia, 8. Palermo, 9. Mar Tirreno, 10. Sardegna
10. 1. è, 2. ha letto, 3. deve, 4. fanno, 5. vola, 6. prende, 7. gli ha prenotato, 8. lo passa
12. 1.b, 2.c, 3.a, 4.a
13. 1, 3, 5, 7, 8
14.

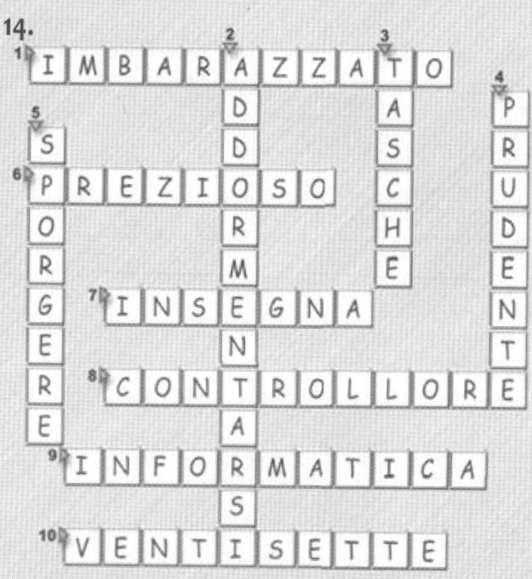


15. 1.a, 2.b, 3.c, 4.b
16. **a.** b; **b.** 1. prelevare/bancomat, 2. assegno, 3. banca, 4. bonifico
17. 1, 2, 4, 5, 6
18. 1.b (p. p.), 2.e (s. p.), 3.a (d.), 4.f (d.), 5.c (c.), 6.g (c.), 7.d (p. p.), 8.h (s. p.)
20. 1. Thomas e Silvia ieri sono usciti e sono andati al mare; 2. Thomas è rimasto incantato; 3. Thomas doveva partire lunedì ma è restato altri tre giorni; 4. Silvia ha preso due giorni di ferie per stare con Thomas; 5. Silvia ha accompagnato Thomas alla stazione; 6. Mentre andavano sul binario per prendere il treno, hanno incontrato Giorgio, un amico di Silvia
21. 1. Sono stato, 2. Mi piaci molto, 3. l'abbraccia, 4. Devi proprio partire, 5. non dovevo neppure, 6. ti prometto che
22. 1. Quando parti?; 2. Hai deciso dove vai/andrai?; 3. Con che cosa vai?; 4. A che ora parti?; 5. Perché vai a Reggio?; 6. Quando torni/tornerai?
23. 1. Cosenza, 2. Diamante, 3. turistico, 4. bar, 5. plastica, 6. guardia, 7. andarsene, 8. bisogna
24. 1.V, 2.F, 3.F, 4.V, 5.F, 6.V
25. 1.b, 2.a, 3.b, 4.a, 5.a
26. 1. baffi, 2. turno, 3. manifestazione, 4. prodotto, 5. giro, 6. affari, 7. occhiata
27. 1. sul, 2. della, 3. con, 4. in, 5. all', 6. per, 7. in, 8. Di, 9. a, 10. di
29. 6, 8, 3, 2, 1, 5, 4, 7, 9
30. 1. alla fine diede loro; 2. abbiano scritto a Michele; 3. purtroppo non lo so; 4. così tanto; 5. Mi fa vedere; 6. a forma di farfalla; 7. Sei il mio nipotino; 8. tutti e due
31. 1.g, 2.e, 3.b, 4.f, 5.c, 6.d, 7.a
32. 1. disse, 2. fu, 3. dovette, 4. Partorì, 5. chiamarono, 6. tennero, 7. morì, 8. fu, 9. si ritrovò, 10. aiutai
33. 1. casetta, 2. premurosa, 3. collega, 4. gravidanza, 5. pasticceria, 6. adottare
34. **a.** 1.b, 2.a, 3.c, 4.b, 5.a, 6.c; **b.** Risposta libera
35. 1.a, 2.c, 3.b, 4.a, 5.c, 6.c, 7.b, 8.a

# PRIMIRACCONTI
letture semplificate per stranieri

***Primiracconti*** è una collana di racconti rivolta a studenti di ogni età e livello. Ogni storia è accompagnata da brevi note, da originali e simpatici disegni, da una sezione con esercizi e relative soluzioni. È disponibile anche la versione libro + CD audio che permette di ascoltare tutto il racconto e di svolgere delle brevi attività.

***L'eredità*** (B1-B2) racconta la storia di Laurence, capo reception in un hotel di lusso in Svizzera. Il padre, con il quale non aveva nessun contatto da anni, muore e le lascia in eredità una cascina in Piemonte. La ragazza, stufa di lavorare per ospiti snob e arroganti, decide di trasferirsi in Piemonte e di trasformare in un Bed&Breakfast la cascina ereditata. I parenti e gli amici del padre fanno il possibile per aiutarla a realizzare il suo progetto, ma una terribile scoperta convince Laurence che è meglio mollare tutto e tornare in Svizzera, quando...

***Primiracconti classici*** è la nuova collana di Edilingua che presenta testi letterari facilitati di grandi scrittori italiani.

***Italo Calvino*** (B1-B2) presenta brani tratti da *Il giardino incantato, Il visconte dimezzato, Il barone rampante, Il cavaliere inesistente, Il castello dei destini incrociati, Le città invisibili, Se una notte d'inverno un viaggiatore, Gli amori difficili, Marcovaldo, Palomar.*